처음, 인생 2막

나다운 인생 2막을 여는 말 150

좋은생각

우리는 언제 어디서나

다시 시작할 수 있습니다.

______________________ 님께

______________________ 드림

001

인생에서 가장 중요한 것은 움직임, 변화다.

트와일라 타프

002

'때가 되면'의 때는 절대 오지 않는다. 다들 자기가 너무 나이 들었거나 젊거나 가난하거나 바쁘다고 생각한다. 완벽한 시간이나 나이, 상황은 오지 않는다. 당신 스스로 주는 기회, 오늘 당장 시작하는 것이 답이다.

마리안 캔트웰

003

사람들이 행복의 비결이 뭐냐고 물어요. 저는 내면의 소리를 듣고 자신의 삶을 살라고 답하죠. 저는 그렇게 살았고, 그래서 행복합니다.

타샤 튜더

004

삶은 계속되고 아직 꿈꿀 시간은 많다.

제임스 카터

005

우리는 나이가 들면서 변하는 게 아니다. 보다 자기다워지는 것이다.

린 홀

006

"젊을 때부터 꾸준히 해 온 것." 이렇게 말할 수 있는 취미는 소중하다. 한편으로 인생의 연륜을 쌓은 뒤에야 발견한 취미 또한 어찌나 사랑스러운지.

다카하시 사치에

007

나는 그동안 오르막길만 걸어왔습니다. 나이 들면서 비로소 깨달은 사실이 있습니다. 바로 인생은 내리막길에서 훨씬 성숙해진다는 것입니다.

헨리 나우웬

008

내면의 나침반에 따라 살 때 인생의 참뜻에 성큼 다가선다.

앤드류 매튜스

009

오늘은 당신의 남은 인생의 첫 번째 날입니다.

영화 〈아메리칸 뷰티〉

010

누구나 가만히 귀를 기울이면 자기 자신에게서 다른 누구보다 훌륭한 길잡이를 발견할 수 있다.

제인 오스틴

011

누가 나를 만들어 가는 것이 아니라 나 자신이 나를 만들어 간다. 진정한 행복은 먼 훗날에 이룰 목표가 아니라 지금 이 순간에 존재한다. 모든 하루를 자기 생에 마지막 날인 것처럼 살아야 한다.

법정

012

우리는 나이 듦에 따르는 시련과 상실을 부당하고, 견디기 어려우며, 부정적인 것으로 생각하는 경향이 있다. 하지만 모든 상실에는 선물이 숨어 있게 마련이다.

존 로빈슨

013

나는 이미 충분히 가치 있는 존재다. 스스로 그것을 인정하기만 한다면.

생텍쥐페리

014

당신이 원하거나 믿는 바를 말할 때마다 이를 가장 먼저 듣는 이는 당신 자신이다. 스스로 한계를 두지 마라.

오프라 윈프리

015

변화에서 가장 힘든 것은 새로운 걸 생각해 내는 게 아니다. 갖고 있는 틀에서 벗어나는 것이다.

존 메이너드 케인스

016

몇십 년을 돌고 돌아 길을 찾았구나. 인생이란 이런 것이구나. 일찍 피는 꽃도 있지만, 늦가을에 피는 꽃도 있구나.

장사익

017

시계를 돌리는 방법은 없다. 그러므로 인생의 질문은 이와 같다. "내가 여기 있는 동안 무얼 할 것인가?"

골디 혼

018

인생 후반의 행복은 어떻게 나답게 살 것인가에 달렸다. 내가 중심이 되어 진정한 인생의 기쁨을 맛볼 수 있는 시기는 분명 이제부터 시작일지 모른다.

사이토 다카시

019

내가 원하는 것을 하기 위해서는 자신감이나 의지나 행운 같은 게 필요하다고 생각했다. 하지만 가장 필요한 것은 즐거움이다.

이유정

020

인생은 하나의 실험이다. 실험이 많아질수록 당신은 더 좋은 사람이 된다.

랠프 월도 에머슨

021

우리는 나이가 들어 제약받는 게 아니라, 오히려 그 나이 듦으로 인해 자유로워진다.

스투 미틀맨

022

인간은 누구나 자기 자신으로 돌아갈 때, 자신을 있는 그대로 받아들일 수 있을 때 비로소 자신과 화해할 수 있다.

앤서니 스토

023

방황과 변화를 사랑한다는 것은 살아 있다는 증거다.

리하르트 바그너

024

해가 갈수록 우리는 더 용감해지고, 더 강해지고, 더 자유로워진다.

리사 콩던

025

꿈은 제2의 사춘기에 필수적인 요소다. 꿈을 꾸는 것은 경험과 감정의 새로운 영역을 탐색할 수 있는 자유를 의미한다.

애비게일 트래포드

026

지금까지 무슨 일을 했느냐도 중요해요. 하지만 더 중요한 것은 앞으로 무엇을 할 거냐는 거죠. 재미있고 좋은 일은 과거가 아니라 미래에 있거든요.

미즈오 요시타카

027

부드러움, 애정, 존경에는 나이가 없다.

앙드레 모루아

028

사람들이 가장 많이 하는 후회 다섯 가지. 내가 원하는 삶을 살았더라면, 너무 일만 하지 않았더라면, 내 마음을 솔직히 표현했더라면, 친구들과 계속 연락했더라면, 내가 더 행복해지게 행동했더라면.

브로니 웨어

029

이 나이에 새로운 기술을 배운다는 건 젊었을 때와는 또 다른 각별한 기쁨이 있다. 어쩐지 새로운 날개를 얻은 기분이다. 새로운 무언가를 시작할 수 있을지도 모른다는 생각이 나를 설레게 한다.

가야마 리카

030

의도적으로 편안함을 깨는 행동이 내 인생의 모든 것을 바꾸었다.

크리스 브로건

031

어떤 마음을 갖느냐는 오로지 나의 선택에 달려 있다. 나는 절망을 선택할 수도, 희망을 선택할 수도 있었다. 나는 희망을 선택하기로 했고, 그것이 내 생명을 연장해 주었다.

빅터 프랭클

032

한쪽 문이 닫히면 다른 문이 열리고 그 문은 다른 방, 다른 곳, 다른 사건으로 이어진다. 우리 삶에는 열리고 닫히는 많은 문이 있다. 문을 닫고서 떠나는 것은 새로운 앞날과 모험 그리고 가능성을 열어젖히는 것을 의미한다.

헬렌 니어링

033

인생에 있어 가장 위대하고 아름다운 여행은
곧 자신을 발견해 가는 모험 속에 있다.

영화 〈티벳에서의 7년〉

034

난 매번 틀렸다. 지금껏 살아오며 나 자신, 타인, 사회, 문화, 세계, 그러니까 모든 것을 잘못 생각했다. 나이가 들고 경험을 쌓는 과정에서 틀린 점을 조금씩 덜어 매일매일 덜 틀린 사람으로 거듭났다. 내 삶이 개선된 이유다.

마크 맨슨

035

마음의 길을 따라 걸어가라. 그 길은 빛이 쏟아지는 통로처럼 걸음마다 변화하는 세계, 그곳을 여행할 때 그대는 변화하리라.

잘랄루딘 루미

036

삶이란 하나의 커다란 도화지다. 그대가 가진 모든 색으로 삶의 도화지를 채워라.

데니 케이

037

자신의 처지를 받아들이는 순간 새로운 기회와 희망이 열린다.

래리 스미스

038

전쟁 때문에 학자의 길을 포기했다. 49세에 회사원이 되었을 땐 너무 늦은 듯했지만 지금껏 50년 이상을 회사원으로 사는 걸 보면 늦은 건 없다. 백 년을 살다 보니 좋고 나쁜 일, 늦고 빠른 일은 얼마든지 뒤바뀔 수 있다는 지혜를 얻었다.

후쿠이 후쿠타로

039

우리 마음속에는 살아온 세월만큼의 모습이 층층이 새겨져 있다. 그 가운데 가장 아름답고 천진한 어린아이의 원형을 잘 관리하는 것, 그것이 젊게 사는 비결이다.

유인경

040

좋은 부모가 될 수 있는 요인은 자기 자신에 대한 '일관된 인생 이야기'를 얼마나 가지고 있느냐다. 즉 자신의 인생 경험을 의미 있고 재미있게 해석하며, 근사한 추억으로 만들 줄 아는 능력이다.

다니엘 시겔

041

칠십 대 후반에도 테니스를 치고, 실력이 더 좋아졌다고 하면 사람들은 그 이유를 궁금해 했다. 나는 대답했다. "좀 더 느긋한 마음으로 하니까요."

케네스 로

042

십 년간 유명인 이백 명을 인터뷰하면서 존경할 만한 어른의 공통점을 찾았다. 첫째, 불평하지 않는다. 둘째, 잘난 척하지 않는다. 셋째, 늘 좋은 기분을 유지한다.

야마다 레이지

043

두려움은 적게, 희망은 많이, 푸념은 적게, 호흡은 많이, 미움은 적게, 사랑은 많이 하라. 그러면 세상 모든 좋은 것이 당신 것이다.

스웨덴 격언

044

삶의 만족을 위해서는 'Naked Strength(네이키드 스트렝스)'를 길러야 한다. 이는 '나를 둘러싼 모든 환경, 배경을 벗어던졌을 때 나는 어떤 존재인가?'라는 물음이다. 모든 걸 내려놓았을 때의 나를 아는 게 중요하다.

윤석철

045

모든 삶이 정각에 출발하는 건 아니야. 모든 삶이 정각에 도착하는 것도 아니지.

칼 필레머

046

갈림길에서 더 나은 길은 항상 내가 선택한 길입니다.

이영표

047

잃는 것이 나쁜 것은 아니다. 때로는 잃지 않으면 얻을 수 없다.

다이 허우잉

048

시간에 맞서기보다 그것이 우리를 새로운 삶의 순환으로 이끄는 길에 함께 발맞춰야 한다.

개리 코왈스키

049

우리는 지금 삶의 교차로에 서 있네. 우리 삶이 종착역에 다다랐다고 생각하며. 그러나 아직 삶은 끝나지 않았네. 신은 우리를 위해 더 큰 그림을 준비했으니 지금 우리는 잠시 삶의 모퉁이를 돌고 있을 뿐. 당신의 일과 삶은 아직 끝나지 않았다.

헬렌 슈타이너 라이스

050

경험은 나이 들지 않아요. 결코 시대에 뒤떨어지지 않죠.

영화 〈인턴〉

051

절정은 다가올 인생에 있다. 진심을 선택하는 나이, 정말 하고 싶은 일과 이루고 싶은 목표를 택한다. 자신을 소중히 하고 즐기며, 세상도 즐길 줄 아는 나이, 이제 나에게 주어진 육체로 인생을 마음껏 누릴 나이대에 접어드는 것이다.

요시모토 유미

052

하늘과 땅은 오래되었지만 끊임없이 새것을 낳고, 해와 달은 오래되었지만 그 빛은 날로 새롭다.

박지원

053

우리는 나이 들수록 생의 아름다움을 깨닫습니다. 내가 얼마나 행복한지 더 많이 알게 되지요.

알리스 헤르츠좀머

054

어떤 일을 할 때 가장 가슴 뛰는지, 어떤 일을 하는 순간이 가장 기다려지고 설레는지 살펴봐라. 가슴에 가장 많이 머무르는 대상이 바로 당신의 꿈이다.

아네스 안

055

인생은 어느 때고 다시 시작할 수 있으며 그 힘은 당신에게 있다.

김혜남

056

로마 황제인 아우구스투스는 76세에 눈을 감기 직전까지 일했고, 윈스턴 처칠은 80세에 수상을 지냈다. 미켈란젤로 역시 노년까지 창작의 열정을 멈추지 않았다. 밝혀진 바에 의하면 과학자들은 삼십 대 초반보다 육십 대가 되었을 때 두 배나 많은 논문을 발표했다.

루이스 월퍼트

057

이제는 당신이 상상해 온 삶을 살 시간입니다.

헨리 제임스

058

나이가 든다는 것은 이상적인 인간이 되어 가는 놀라운 과정이다.

데이비드 보위

059

인생에서 해 온 모든 일을 되돌아볼 때, 당신은 다른 사람들에 비해 잘한 순간보다 그들의 삶에 기쁨을 준 순간을 회상하며 더 큰 만족을 얻을 것이다.

해롤드 쿠시너

060

착하게 살아온 과거, 진실한 마음씨, 소박한 생활 그리고 아직도 가지고 있는 희망이 미(美)의 퇴화를 막아 낼 수 있다.

피천득

061

중년은 두 개의 얼굴을 가진 야누스와 같다. 새해를 시작하는 1월(January)이 야누스(Janus)에서 나왔다. 한쪽 얼굴로 과거를 보며 추억을 새기고 반성도 할 수 있다. 다른 한쪽 얼굴로 미래를 바라보는 어린애처럼 꿈꿀 수 있다.

최창환

062

미지의 것을 발견하는 것만이 새로운 발견이 아니다. 똑같은 대상을 바라보는 시선을 바꾸는 것도 훌륭한 삶의 재발견이다.

구본형

063

당신이 되었을 뻔했던 사람이 되기에 아직 늦지 않았습니다.

조지 엘리엇

064

당신의 생애 중 가장 빛나는 날은 성공한 날이 아니라, 비탄과 절망 속에서 생과 한번 부딪쳐 보겠다는 느낌이 솟아오른 때다.

귀스타브 플로베르

065

나는 주름살을 없애면서 나이 들고 싶지 않아요. 단지 내가 만들어 온 얼굴에 충실할 용기를 갖고 살아가고 싶어요.

마릴린 먼로

066

나에게는 너무나 많은 것이 주어졌다. 나에게 어떤 것이 없는지 생각하며 머뭇거릴 시간이 없다.

헬렌 켈러

067

우리가 감탄하고, 자아를 넓히고, 관습에서 벗어나고, 새로움과 희망을 깨달으면 생의 어느 때라도 젊음을 느낄 수 있다.

찰스 호튼 쿨리

068

연극으로 비유하면 인생 1막에서의 나는 그저 연기하는 배우다. 그러나 2막부터는 배우 역할은 물론 극본도 쓰고 연출까지 직접 해야 한다. 게다가 결말이 정해져 있지도 않다. 따라서 언제 막이 끝나더라도 후회 없는 피날레가 되도록 순간순간 최선을 다해야 한다.

지성언

069

나이 듦에 따라 우리는 많은 껍데기를 벗습니다. 자존심, 거만함, 권위, 아집, 불신, 비관, 무례함, 이기심, 냉담함…… 와, 나이 드는 것이 이렇게 좋은 일이었군요!

스티븐 리처즈

070

삶의 목적은 살고, 최대한으로 경험하며, 두려움 없이 열정적으로 새로운 경험을 찾아 나서는 것이다.

엘리너 루스벨트

071

사랑은 나이 들지 않습니다. 언제나 싹트고 있지요.

블레즈 파스칼

072

떨어지는 물방울이 바위를 관통합니다. 힘이 아닙니다. 지속성입니다.

오비디우스

073

예순 살의 마음에도, 열여섯 살의 마음에도, 모든 이의 마음에는 미지의 세계를 향한 끌림, 어린아이와 같은 무한한 호기심, 삶이라는 놀이에 대한 즐거움이 있다.

사무엘 울만

074

모든 영화의 공통 주제는 '변화'다. 소재나 줄거리에 상관없이 모든 작품은 늘 처음과 끝이 달라진다는 공통점이 있다. 영화가 인생의 축약본이라는 점에서 능동적인 변화가 얼마나 중요한지 배웠다.

이미도

075

자기 성찰과 성장의 무한한 가능성은 인생의
두 번째 장에 있다.

카를 구스타프 융

076

이전처럼 지나칠 수 없었습니다. 무언가를 생각하지 않을 수 없었습니다. 몸과 마음, 삶의 깊이, 어느 날 문득 깨닫게 되는 것……. 그 위치에 섰을 때만 보이는 풍경이 있습니다. 나이 든다는 것은 그런 것이라고 생각합니다.

히로세 유코

077

내가 하고 싶은 말을 할 수 있는 단계에 이르기 위해 그토록 긴 시간이 필요했다.

앙리 마티스

078

내가 가장 좋아하는 일은 해 본 적 없는 일을 하는 것이다.

칼 라거펠트

079

사십 대에는 세상이 나를 필요로 하지 않을 날이 올까 봐 두려웠다. 쉰에 은퇴하기로 마음먹었지만 당치도 않았다. '이대로 물러설 줄 알아? 아직 할 일이 얼마나 많은데.' 싶었다. 시대의 바람에 맞는 작품을 만들기는 어려워도, 마음속에 창조의 샘이 있으면 하고 싶은 일을 계속할 수 있다.

히사이시 조

080

부부가 다정하게 늙어 가기 위해 필요한 것은 무엇일까? 친구가 되어 일상을 공유하는 것인데 그러기 위해서는 대화가 필요하다. 대화를 위한 가장 좋은 방법은 공통의 취미를 갖는 것이다. 이왕이면 함께 있는 시간을 줄이는 것도 좋은 방법이다. 각자의 스케줄을 가지고 볼일을 보고 와서 저녁에 만나 하루 동안 있었던 일, 만났던 사람들에 관해 이야기를 나누며 오붓한 시간을 보내는 것이다.

이덕주

081

"젊을 때 도전하라."라는 말은 틀렸다. 도전할 때 젊은 것이다.

김은주

082

세상은 둥글다. 막다른 골목처럼 보이는 곳도 출발점이 될 수 있다.

아이비 베이커 프리스트

083

한 걸음 떨어져서 나를 바라보라. 나 자신을 발견하는 것만으로도 행복해지기에 충분하다. 인생에서 무엇을 할지는 자신만이 결정할 수 있다.

왕이지아

084

우리의 삶은 결코 소진되지 않는다. 잠재된 능력이 무궁무진하기 때문이다.

콜린 윌슨

085

우리는 어릴 적 느꼈던 번뇌에서 자유로워졌으며, 작은 충격에도 흔들렸던 그 시절을 부드러운 시선으로 바라볼 수 있게 됐다. 여전히 우리 안에 남아 있는 외롭고, 연약하고, 겁에 질린 소녀를 사랑으로 돌봐 줄 수도 있다. 더불어 우리는 그 사랑을 밖으로 꺼내서 모든 살아 있는 존재에게 베풀 수 있다.

메리 파이퍼

086

영원하면서도 후회가 남지 않은 도전은 자신에 대한 도전뿐이다.

나폴레옹 보나파르트

087

지금 내 나이의 아름다움과 고통을 모두 느끼고 싶습니다. 무감각해지지 않고 이 삶을 온전히 살아 내고 싶습니다.

테리 템페스트 윌리엄스

088

스스로를 귀하게 여기기 시작한 뒤에야 시간을 귀중하게 여길 수 있다. 그 후에 비로소 귀중한 시간을 가지고 무엇이든 할 수 있다.

모건 스콧 펙

089

충분히 먼 곳으로 여행을 떠나세요. 당신 자신을 만나러.

데이비드 미첼

090

젊음이 떠나자 인생이 바람처럼 가벼워졌다. 중년에 이르러 풍요로움을 얻을 수 있었다. 부족함 속에서 더 폭넓은 이해를 추구하는 수도자와 같은 마음을 가질 수 있었다. 쓸데없는 근심과 걱정을 버림으로써 또 다른 발전적인 일들을 할 수 있게 되었다.

마리나 벤저민

091

가끔 시계를 돌려 모든 슬픔을 지워 버리고 싶은 순간이 찾아옵니다. 하나 그렇게 했더라면 기쁨 역시 사라졌을 겁니다.

니컬러스 스파크스

092

상상에는 나이가 없고 우리의 꿈은 영원하다.

월트 디즈니

093

누구나 마음속에 좋은 소식 한 조각쯤은 품고 있습니다. 좋은 소식이란, 당신이 얼마나 더 위대해질 수 있는지, 얼마나 더 많은 사랑을 줄 수 있는지, 얼마나 더 많은 것을 이룰 수 있는지 그리고 당신의 잠재력이 어디까지인지 아직 다 모른다는 것입니다.

안네 프랑크

094

생명력은 살아남는 능력뿐 아니라 새로 시작하는 능력에서도 드러난다.

프랜시스 스콧 피츠제럴드

095

삶의 저녁은 언제나 빛을 밝힐 램프를 가지고 찾아온다.

조제프 주베르

096

나는 나이 들기를 기대해 왔습니다. 그때가 되면 내가 어떻게 생겼는지보다 어떤 사람인지가 훨씬 더 중요해질 테니까요.

수전 서랜던

097

하고 싶은 생각을 모두 하기에 나의 하루는 아직도 짧다. 걷고 싶은 길을 모두 걷기에도, 읽고 싶은 책을 모두 읽기에도, 보고 싶은 친구를 다 만나기에도 나의 하루는 짧기만 하다. 인생을 살면 살수록 내 마음은 더욱더 세상의 아름다움과 놀라움에 빠져든다.

존 버로스

098

인생의 길이는 어떻게 할 수 없지만, 넓이와 깊이에 관해서는 무엇이든 할 수 있다.

헨리 루이 멩켄

099

우리는 중년 이후에 인생의 이런저런 구조를 꿰뚫는 지식을 쌓고 그러한 것을 판별해 내는 저력을 터득한다. 사람의 외양이 아닌 그의 어딘가에서 빛나는 정신, 존재 자체를 있는 그대로 받아들이는 때가 중년이다.

소노 아야코

100

인생이 뭐라고 생각하느냐고요? 내가 만든 영화 〈일대종사〉에 이런 대사가 있죠. '한 걸음씩 앞으로 나아가다가 이만큼이나 왔으니 이젠 다 왔네?' 하고 뒤를 봤을 때, 내가 걸어오지 않았던 다른 풍경이 보이는 것. 나는 그런 게 바로 인생이라고 생각해요.

왕가위

101

잃어버린 시간과 놓쳐 버린 시간과 아직 성취 하지 못한 시간 때문에 삶은 살아지는 거였다.

이철환

102

나이는 지금껏 한 번도 해 보지 못한 것을 할 수 있는 자유를 준다. 위대한 작품은 삶의 어느 순간에라도 찾아올 수 있다.

윌 바넷

103

지금, 노년의 정원에는 전에 우리가 미처 가꾸지 못한 많은 꽃송이가 곱게 피어나고 있다. 고귀한 인내의 꽃이 만발하면 우리는 더 여유롭고 관대해질 것이다.

헤르만 헤세

104

새들은 털갈이를 하느라 때로는 날아오르는 능력조차 잃어버린다. 이를 '털갈이 이클립스'라 부른다. 아무것도 하지 않는 빈 시간을 가리키는 멋진 표현이다. 신중한 태도로 자신의 나약함을 인식하며, 고요를 흐트러트릴 수 있는 움직임은 자제하며, 새는 기다린다. 인내한다. 재생이 일어나고 마침내 아름다움을 되찾을 때까지. 우리에게도 그런 시간이 필요하다.

필리프 뒤부아

105

결국 중요한 것은 얼마나 깊이 사랑했는가, 얼마나 충만하게 살아왔는가, 얼마나 자유롭게 살아왔는가이다.

잭 콘필드

106

젊은 시절, 우리는 감정적으로 서로에게 속해 있는지 확인하고 싶어 했다. 하지만 중년 이후에는 점차 그런 것에 담담해진다. 어쩌면 자신에 대해 더 확신이 생기거나, 인간관계나 사회관에 있어 훨씬 더 독립적이 되기 때문이리라. 마음의 독립이야말로 중년의 깨달음이자 세월이 준 소중한 선물이다.

장만주엔

107

단 세 마디로 내가 인생에서 배운 모든 것을 요약하자면, '그래도 삶은 계속된다'.

로버트 프로스트

108

내가 고른 붓, 내가 고른 색깔을 가지고 내 손으로 직접 그린 낙원으로 뛰어들자.

니코스 카잔차키스

109

나는 "우리가 저지른 실수를 젊은이들이 되풀이하지 않도록 해야 한다."라는 말에 동의하지 않는다. 그들은 실수를 하겠지만, 우리가 저지른 것과 똑같이 하지는 않을 것이다. 그들은 우리가 아니고, 그들의 세계는 우리가 살아온 세계가 아니며, 그들의 젊은 날은 우리보다 현명할 수 있다. 그러니 그들이 나설 수 있도록 도움을 주는 쪽으로 우리의 경험을 공유하자.

파커 파머

110

무리하지도, 참지도 않는다. 내가 이 나이가 되어 처음 터득한 것은 스스로를 조금 풀어 주고 아껴 주는 일이었다.

무레 요코

111

당신이 결정하는 순간, 버려져 있던 어마어마한 에너지가 움직이기 시작한다.

로버트 프리츠

112

아무것도 일어나지 않는다고 생각하는 그때에
사실은 많은 일이 일어나고 있다.

유진 피터슨

113

삶에 있어 잘못 들어서는 길이란 없다. 삶이 온통 길이기 때문이다. 그러니 두려움 없이 길을 떠나라. 길섶 곳곳에 수많은 길동무와 예기치 않은 행운이 숨어 있을지니.

고미숙

114

자신의 발견은 세상의 발견보다 중요하다.

찰스 핸디

115

젊음은 나이가 아니라 생각이 만드는 것이다.

이어령

116

마흔이 넘으면 우리는 사람과 문제와 상황이 끝없이 다양하기만 한 게 아니라는 사실을 알게 된다. 세상에는 겹치고 되풀이되는 일이 많다. 세상은 무한하지도, 예측 불가능해 보이지도 않는다. 그러면서도 훨씬 더 흥미로워 보인다. 우리는 전에 여러 번 봤던 것을 다시 보면서 새로운 의미를 발견한다.

파멜라 드러커맨

117

나이 먹는 이유는 일상에 숨어 문을 닫아 버리기 위해서가 아니라, 새로움을 만나기 위한 것이다. 만나기 위해 선택하는 것이자 자신이 마음껏 고른 장소로 나아가는 것이다.

가쿠타 미쓰요

118

좋은 휴식이란 그냥 쉬는 것에 그치지 않고 '쉬고 싶은 자신'을 마음으로부터 허락하는 일이다. 많은 사람이 진정으로 휴식다운 휴식을 취하지 못하는 이유는 쉬고 싶은 자신, 쉬고 있는 자신을 마음으로부터 허용하지 못하고 '정말 쉬어도 괜찮을까?'라면서 조바심을 내기 때문이다.

이시하라 가즈코

119

과거의 익숙한 것들과 헤어지고 나니 그 빈자리에 새로운 것들이 밀려 들어와요.

김혜형

120

나이가 든다고 사는 게 좀 더 편해지진 않아.
다만 주변 상황에 덜 흔들리게 되지.

영화 〈사랑도 통역이 되나요?〉

121

희망을 갖는 건 절망할 위험이, 시도하는 건 실패할 위험이 있다. 하지만 인생에서 가장 위험한 일은 아무런 위험에도 뛰어들지 않는 것이다.

글렌 반 에케렌

122

세상이 주는 조건은 사람마다 다를 수 있지만 세월이 주는 가능성과 한계는 누구에게나 똑같다. 그리고 가장 중요한 사실, 세월은 세상보다 힘이 세다.

주철환

123

내가 삶을 다시 살 수 있다면 일주일에 몇 번은 시를 읽고 음악도 듣는다는 규칙을 정해 놓을 텐데. 이런 취미를 잃는 것은 행복을 잃는 거나 마찬가지야.

찰스 다윈

124

마음을 가꾸는 것만큼이나 몸에 대한 예의도 갖출 수 있어야 한다. 자신조차 돌보지 않은 몸에선 어떤 신호도 감지되지 않는다.

사라 밴 브레스낙

125

삶을 자기 것으로 만드는 출발점은 무언가를 사랑하는 것이다.

앨리스 콜러

126

지난해의 단어들은 지난해의 언어다. 다음 해의 단어들이 다른 목소리를 기다리고 있다.

토머스 스턴스 엘리엇

127

놀이와 재미는 아이들만의 것이 아니죠. 어렸을 때만 놀고 재미를 느끼다 어른이 되어 진지하게만 산다면 슬프지 않겠어요?

로산 보슈

128

바닷가에 있는 예쁜 조개껍데기를 전부 주울 수는 없다. 몇 개밖에 주울 수 없고, 그래서 더 아름다운 법이다.

앤 모로 린드버그

129

인생은 짧고 되돌릴 수 없다. 하지만 우리는 순간순간마다 존재의 경이로움에 놀라며 삶의 의미를 맛볼 수 있다. 이 얼마나 알알이 소중한 시간들인가?

헨리 데이비드 소로

130

바로 이 순간에도 인간은 자기 자신 안에 역동적으로 살아 움직이는 미래를 가지고 있다.

에이브러햄 매슬로우

131

인생은 스스로 되풀이하면서 변화하는 모습의 연속이다.

앤디 워홀

132

오십이 넘어서도 적성을 모르겠다고 토로하는 사람이 부지기수다. 좋아하는 일을 하고 있는 사람들의 특징은 현재에 집중하고, 작은 실천에 능하다는 점이다. 지금 거기에서 할 수 있는 일을 하다가 자신의 꿈을 만난 경우가 태반이다. 이들이 우연한 기회를 만난 건 뭔가를 계속 두드리고 시도했기 때문이다. 계획을 행동으로 옮길 때 숨어 있던 적성도, 나아갈 방향도 드러날 것이다.

김민태

133

'지금, 여기'를 충실하게 사는 것이 풍요로운 숲을 만들고, 다음 세대의 양식이 되는 도토리를 만든다고 생각하면 과거를 후회하거나 미래에 불안해할 필요가 없다.

기시미 이치로

134

섬유질을 챙겨 드세요. 나이 들수록 내가 먹는 게 아니라 내가 소화하는 것이 내가 됩니다.

마크 윌리엄스

135

인생을 살면서 겪는 수많은 갈등의 순간. 그 속에서 우리는 양 갈래 길을 앞에 둔 사람처럼 고민한다. 하지만 인생이 어디 두 가지 중에서 하나만 정답이랴. 그 어느 것을 선택해도 나쁘지 않다.

법륜

136

불편함을 동반하지 않는 변화는 없다. 좋은 쪽으로의 변화는 특히.

리처드 후커

137

잃어버린다는 것을 받아들이는 일은 무척이나 힘들다. 그러나 다시 찾을 수 없는 것에 매달리다 보면 결국 더 많은 것을 잃는다. 내가 의미 있게 써야 할 시간, 내가 더 사랑해야 할 사람들 그리고 나 자신까지도.

에리히 프롬

138

비록 아무도 과거로 돌아가 새 출발 할 순 없지만, 누구나 지금 시작해 새로운 엔딩을 만들 수 있다.

칼 바드

139

약간의 각오와 여유로 인생은 너무나 즐겁다.

니혼바시 요코

140

사랑에 빠질 때마다 우리의 과거는 바뀐다. 소설을 쓰거나 읽을 때마다 우리의 과거는 바뀐다. 과거란 그런 것이다.

파스칼 키냐르

141

비우면 채워지고 낡으면 다시 새로워진다. 적으면 얻게 되고 많으면 미혹된다.

웨인 다이어

142

잠시 일에서 벗어나 거리를 두고 보면 자기 삶의 조화로운 균형이 어떻게 깨져 있는지 보다 분명히 보인다.

레오나르도 다빈치

143

때론 삶이라는 거센 물결에 휩쓸려 우리가 지닌 각진 모서리를 잃는데, 그건 좋은 일일 수도 있다. 새로운 모습으로 거듭날 수 있다는 건 멋진 일이니까.

대니얼 고틀립

144

가장 중요한 건 감동받는 것, 사랑하는 것, 희망하는 것, 떨리는 것 그리고 살아가는 것이다.

프랑수아 오귀스트 로댕

145

작용과 반작용, 밀물과 썰물, 시행착오, 변화.
이것이 삶의 리듬이다.

브루스 바튼

146

"망설여질 때 로큰롤처럼 살기로 하면 인생이 재미있어지지." "로큰롤?" "늘 자신을 설레게 하는 쪽으로 가는 거야."

모리사와 아키오

147

젊었을 때는 앞날을 바라보고 가죠. 마흔, 쉰이 지나면서 점점 앞날이 아니라 오늘이 중요하다는 걸 깨닫게 돼요. 그다음에는 순간순간이 중요하다는 걸 알죠. 일흔에는 이 시간을 보람 있게 보내야겠다는 욕심이나 부담마저 없어져요. 그런데 신기하게도 자기 마음속 세상을 보는 눈은 조금도 늙지 않아요.

정경화

148

미소를 지어 보라. 크게 소리 내어 웃어라. 이보다 더 나쁠 수도 있다. 그렇다고 별수 있나? 여기, 우리는 이렇게 살아 있다.

노라 에프론

149

그 나이에만 즐길 수 있는 것, 그 사람이 그때밖에 할 수 없는 것은 무수히 많다. 하지만 그때 즐겼던 것 중에는 나이가 들면서 시들해지는 것도 많다. 그런데도 사람들은 언제까지나 젊을 때와 똑같은 것을 즐기고 싶어 하는 듯하다. 그것은 벚꽃이 일 년 내내 피어 있기를 바라는 것과 마찬가지다.

우미하라 준코

150

바뀐 것은 없다. 단지 내가 달라졌을 뿐이다.
내가 달라짐으로써 모든 것이 달라진다.

마르셀 프루스트

MEMO

처음, 인생 2막

나다운 인생 2막을 여는 말 150

펴낸날 2020년 9월 1일 초판 1쇄

엮은이 좋은생각 편집부

펴낸이 정주안

펴낸곳 좋은생각사람들

서울 마포구 월드컵북로22(동교동, 영준빌딩) 2층

전화 02-330-0333, 02-333-0329(팩스)

홈페이지 www.positive.co.kr

ISBN 979-11-87033-43-1 00190

값 8,000원

이 도서의 국립중앙도서관 출판예정도서목록(CIP)은 서지정보유통지원시스템 홈페이지(http://seoji.nl.go.kr)와 국가자료종합목록 구축시스템(http://kolis-net.nl.go.kr)에서 이용하실 수 있습니다. (CIP제어번호 : CIP2020025985)